鋼の錬金術師 5

FULLMETAL ALCHEMIST

荒川弘
あらかわひろむ

■アルフォンス・エルリック

Alphonse Elric

■エドワード・エルリック

Edward Elric

■アレックス・ルイ・アームストロング

Alex Louis Armstrong

■ロイ・マスタング

Roy Mustang

OUTLINE
FULLMETAL ALCHEMIST

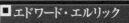

エドワードとアルフォンスの兄弟は、
幼き日に喪った母を錬金術により蘇らせようと試みる。
しかし、錬成は失敗しエドワードは
左足と弟のアルフォンスを失ってしまう。
なんとか自分の右腕を代償にアルフォンスの魂を練成し、
鎧に定着させる事に成功するが
その代償はあまりにも高すぎた。
そして兄弟はすべてを取り戻す事を誓うのだった…。

鋼の錬金術師
FULLMETAL ALCHEMIST

CHARACTER
FULLMETAL ALCHEMIST

□ウィンリィ・ロックベル

Winry Rockbell

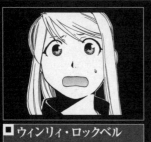

□傷の男（スカー）

Scar

□グラトニー

Gluttony

□ラスト

Lust

□ピナコ・ロックベル

Pinako Rockbell

□エンヴィー

Envy

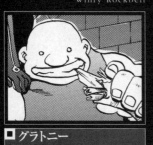

CONTENTS

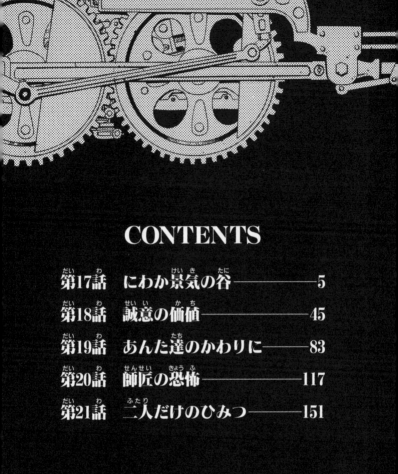

キャ〜〜〜〜〜〜♡
ステキ〜〜〜〜〜〜♡
この指輪
レミス工房の
ニューモデルよぉ！
まさかこんな街で
お目にかかれる
なんて〜〜〜♡
ねぇ
買って
買ってぇ〜〜ん♡
はっはっは
いいとも
ハニー♡
JEW
NEW
SALE
SALE
キャ〜〜〜〜〜〜♡
ステキ〜〜〜〜〜♡

この機械鎧!!
ゴッズの11年モデル!!
まさか この目で拝める日が来るなんてぇ~~~♡
……何?
いや……なんでもない…
ラッシュバレー!!
PARK
MAINSTREET
STATION
POST OFFICE
HOTEL
WELC
ARRIVE
COWSHED

RUSH
「にわか景気の谷」の名の通りイシュヴァールの内乱があった時に義肢技術を発達させて急速に大きくなった街よ
第17話
にわか景気の谷
SEA~
AUTO MAIL
「機械鎧技師の聖地」とも言われてるわね
おっ全身機械鎧
すげえ
本当だ
機械鎧だらけだね
JUNK

SPECIAL ORDER
未だに国内のあちこちで戦火が上がってるから義肢の需要は多いみたいね
本当はこんな商売が繁盛しない世の中になればいいんだけど…
example
うぉおおおおおおお
ドドド
どおおおおおおっ
すげー！51連勝!!
勝てねーよあんなの!!
マシン・アーム・レスリング!!
機械鎧装備者限定の腕相撲だよ！
ぬふー
賭け金一万センズでこいつに勝てたらテーブルの上の賭け金の山は全部持ってけ泥棒だぁ!!

よっしゃ！
俺がやる！
へへっ
今日 新品にしたばっかでね
性能を試してみたかったんだ
おっ！
いいねお兄さん
ノリノリだね!!
そんじゃレディ
ファイッ!!
新品つったっけか？
ドゴ
悪イな
廃品回収に出しといてやるよ

そんなぁ〜〜〜〜〜〜〜
どおぉおぉおぉ!!
壊れた!
腕壊れたね!?
腕を作るならうちで!!
いやうちで!!
サービスするぜお兄さん!!
わらわらわら
見積もりはこれ位で!!
分割オッケイよ!!
たすけて——まだローンが残ってるのに〜〜
足りなきゃ働いて返してね!!
えいや
そいや
それそれ〜
ハイエナのようだ……
さあて次は…
おおっとそこのでかくて強そうなお兄さん!どうだいひと勝負!
ボク!?
ダメダメ!やりません!!
そんじゃあこっちの右腕が機械鎧の…
おう失礼!
こんな豆坊っちゃんじゃ元から勝負にならないね!!

どわははは
さあ誰かいないか誰か!?
…おほっ!?やる気だよこの坊っちゃん
どおははは
おもしれぇ!!
ちょっとエド!いくらなんでも勝てる訳ないでしょ!!
あ
うおおおおお
リーチもパワーも違いすぎだぁ
わははは
こりゃ肩ごと持ってかれるぞ
整備師スタンバイ!!
Yaー!!
レディ!!
ガシッ
ファイッ!..

……はい?
悪イね
今日は廃品回収が大忙しだ
めしょっ

壊れた!!
どわあああ
腕壊れたね!?
腕を作るならうちで!!
いやうちで!!
ギャーいやー
サービスしまっせ!!
はっはっは
ニカイニカイ
何やったの?
ひそひそ
錬金術で相手の腕をもろい物質に作り変えたの
あ
備えてる訳ないでしょ!!
パン!
ずるーい
うわはははは聞こえんなぁ!!
悪…
君! ここらじゃ見ない形の機械鎧だね

おお本当だ見てごらんこの造り
え
あたしあたし
へぇお嬢ちゃんが製作者？いい仕事してるねぇ
東部の？ほほうどうりで珍しい型だと思った
あの
おい
ちょっと
わらわらわら
なるほどここにシリンダーを
え？左足も機械鎧？
おい
見せろ見せろ!!
足出せ！
面倒くせぇなズボン脱げや小僧!!
ぎゃーーー
さっすが聖地とよばれる街ね！

うんうん
みんな研究熱心だわ!
だからってなんでオレが公衆の面前でパンツ一丁にされなきゃなんねーんだよ!!!
はははは見てごらんハニー
あらいやだ
あっはっは大通りでパンツ一丁になった国家錬金術師なんてそうそういないよ兄さん!
ああそうですねフンドシ一丁のアルフォンス君!
フンドシとちがうやーい
つたく……
ん?
国家錬金術師の証………
は…は…
はっ!?
?
どうしたの?
銀時計が無い……!!
無い…

え――!!?
やられたな兄ちゃん
そりゃきっとパニーニャだね
観光客をカモにしてるスリだよ
んな――!!?
そいつがどこにいるか知らないかな
たのむよ! 大事な物なんだ!
そうさのう…
教えてやってもいいがそのかわり…
WELC
RU

兄ちゃんの機械鎧
じっくり見せて♡
西通りの裏路地！
グロッツってあやしい古物商!!
Glotz
おやっさん換金おねがいね
おお今日はまた立派な物を盗って来よったな
ふーむ見事な細工の銀時計だ
でしょ？良い値で買ってちょうだいよ
KANTEI

名前入りじゃな
「エドワード・エルリック」？
どこかで聞いた事があるような…
軍の紋章に…これは六芒星か？なんの紋章だったかのう……
むっ
フタが開かんな
ぐいぐい
あれ？本当だ
それどころか動いてもいないじゃん
しーん
ガラクタつかまされたかな
ネジ巻いてみようか
動かすな!!
KANTEI

……フタも開けるな!!
野郎……じゃねぇこの女…
ドカ
ドカ
ドカ
やばっ
ひょいっ
あっ
ほい兄ちゃんパス!!
のわ——!!それ80万するツボ——っっ!!
ガシャン

ばしーっ
うおお!?
ナイスキャッチ!
ほいほい〜〜っと
あっ…待てコラァ!!
タッ
追うぞアル!!
バタバタバタバタ
あ
思い出した最年少国家錬金術師の……

待ち
や
が
れえええええええええ!!!
ズバババババ
しつこいなぁもう
ボフォ
ガッ
ぶは!!
うっひっひー
あたしの庭で追いかけっこしようなんて10年早いっての

!!
ズザザ
うひゃあ!
とっとっと…
ありゃ行き止まり!?
追いつめた!!
ぶはぁ
アルでかした!
でかしてない…
よっ!
ぎゅっ

ダダ
ダダン
軽業師かよ!?
ひょ――い
うげ!
兄さん!
ダン
おう!
タン
タ
そう簡単にオレ達から逃げられると思って…

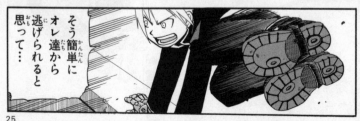

ガル
にっかー♪
わうばうがうがう
のおおおお

がうがうがうがうがう
あううううううう
あ
いい子だから兄さんをはなしてあげて
ねっ
しっしっ
ガル？
グルルウ!!
ねっ
ザッ
兄さん大丈夫？
クゥーーン
ガクガクガクガク
ふ……
ゆらあ
ふふふふふふふふふふふふ

ぶっ…とばす!!
ええ!?
ぶっとばすって…
相手が男なら
ともかく
女の子だよ!?
男女平等!!
ずびし!!
なんで
兄さんが使うと
危険思想に
聞こえるのかな
ぐい
ぐい
やっぱり
開かないなぁ
う〜〜ん

いっそ壊してみようか…
開けるなっつってんだろ
………見られたらまずい物でも入ってんの？
おめーにゃ関係無ぇよ
返せ
ぷち

すごいね
兄ちゃん何者？
錬金術師だ！

ドドドドドドッ!
ほっ
あはは！錬金術師と鬼ごっこをするのは初めてだ！
逃がさねぇ!!
パン
オラ捕まえ…
わっ
STOP
!!!

ガッ
タン
た!?
カッ
ぶぎゅ
はい終了〜〜〜〜
おお
ぬが——!!

うわ――
ドーン
すっごい運動能力
サルみたいよあの女の子
サル対サル…
うまくここに来るかな
ズバーン
ドバーン
GENERAL STORE
うんエドならなんとかするでしょ
ぬうおおおおおおおお!!
あははははは!
ドド
ドドドッ
すごいすごい!
ドドッ

こんなにしつこい奴初めてだよ
あはははは！
てめっ……のヤロ…
ちょこまかと…
こちとら病み上がりだっつーの
うる…っせぇ!!
ほらほら息があがってるよ〜〜〜〜！
これで……

……!!
………何も出ないよ?

どしたの？
ネタ切れ？
力尽き？
ボコボコ
出すだけが
錬金術じゃ
ねえんだよ
はー
たとえば
おめーの足元を
もろい物質に
作り変える…
とかな！
ピシ
ボゴッ

ドドドドド
ドドン
パン
あっぶな～～～……
わしの店!!

おおおおらァヅ!!
ドーン
わわっ
捕った!!
店のオヤジでした
べしゃっ

ほいほいっ…
GENERAL
…っと
コォォォ
待ってたよ
!?
カッ

バババ
ン
おーーーっ
バリバリ
ドン！！
バシン．

お見事！
ふう
へっへっへ
観念しやがれ
このアマ！
兄さん
それ
めちゃくちゃ
悪役のセリフ
ふーん…
コンコン
あぶないから
ちょっと
離れてて
あ？
ス…
ヤ
ガッ

ガシャ
ガシャン
……!!
珍しくもないでしょ
こんな街なんだし
バキン
どん
ちなみに左足には1.5インチ カルバリン砲が
ガッ
うえつけ――
両足が機械鎧であの運動能力……
うそ…

ほいほいっと
だっ
あっ…待て!!
へっへ——捕まえてごらん!!
がしっ
逃げようったってそうはいかないわよ
ぎり

う…
しまった…
でかした
ウィンリィ!!
その盗っ人
はなすんじゃ
ねーぞ!!
ええ…
はなす
もんですか
ふっふっふっ
その機械鎧
もっとよく
見せてくれるまで
はなさない♡
………
…は?

カッ
ほらほら さっさと 歩かないと 置いてくよー
置いてくって…
…なんで…
ぜー はー ぜー
なんでオレが こんな山奥まで 付き合わされなきゃ なんねーんだー!!

第18話
誠意の価値

すごい
すごい
すごい！
RUSH
初めて見るわ
こんな機械鎧!!
サスペンションも
他の機械鎧と
比べ物に
ならないくらい
高度だけど
なんと言っても
全体の
バランスよね
武器を内蔵する為に
徹底的に外装の
スリム化がされてるのね
それでいてあの運動量と
衝撃に耐えられるだけの
硬度を持ってるなんて
見たところ 材質は
鋼だけど熱処理の方法が
べら べら べら べら べら べら べら
いい天気
だなぁ
アル
そうだね
兄さん
ねぇ
パニーニャ！
この機械鎧を
作った技師を
教えて！
え？
いいけど…

すごい へんぴな所に 住んでるから 案内が必要だよ
ええ〜〜〜〜？
あたしが案内して あげるからさ
かわりに今日の スリの件は 見逃して くれる？
うん 見逃しちゃう！
びし！
びし！
待てーーい!!
勝手に 決めんなよ ウィンリィ!!
こいつは 憲兵に 突き出すに 決まってんだろ！
なによ スリの ひとつやふたつ 肝っ玉の ちっさい男ね
ちっさい 言うな！
だいたい 街中をこんなに しといてだなぁ…
わしの店を こんなに したのは 兄ちゃんかい？
うちの屋根も すごい事に なってんだけど
俺ん家の エントツ 壊したろ
宅の ジュリーちゃんを いじめたそうね
ガル
GENERAL

修復中
キリキリ直せ小僧!!
やってるよ!!
ビシー
ばうばうばう!!
うるせ――!!
バシー
とにかくだ!
ぜ
は
そいつは憲兵に突き出して!
時計は返してもらう!
けっこう山の中まで歩くから身軽な方がいいよ
じゃあ荷物は宿に預けといた方がいいわね
聞け――!!
だめだ兄さん ああなったらウィンリィは止まんないよ
わきあいあい
…本当にへんぴな所に住んでるのね その整備師さん……
カッ
うん 機械鎧に使う良質な鉱石が出るとかでこんな山奥に工房を持ってるんだ
あち

あと単に人嫌いって言うか無愛想だから街中には住みたくないらしいよ
それよりもオレの時計！早く返せよ！
整備師の所まで案内したらスリの件は見逃すって約束だからね
約束を破らないように人質♡
…その約束したのオレじゃねえっつーの…………

見えて来たよ！あれ！
カーン
カーン
カーン
カーン
カーン
こんちわっ
パニーニャ！
おまえこんな山奥までこまめによく来るなぁ

今日はお客さんを連れて来たよ
カーン カーン
へえ機械鎧の注文かな……
…ってうわでっか!!ちっさ!!
この子は整備師のウィンリィ
ドミニクさんの機械鎧に興味があるんだって
き――き――き
どうどう
こんにちは
珍しいねこんな若い女の子が機械鎧になんて…
カーン カーン
あらパニーニャ今日はお友達を連れて来たの?
サテラさんこんちわっ
カーン カーン カーン
ちょうどよかった今お茶にしようと思ってたのよ
みんな一緒にどうだ
わーい
この人がドミニクさん?
ぜんぜん無愛想じゃないけど…
あははちがうよー

オレはリドル
リドル・レコルト
カーン カーン カーン
こっちは妻のサテラ
カーン カーン
カーン
無愛想なのは俺の親父のドミニクだよ
ドミニクさんこんちわっ!

なんだ
また来たのか
なんだは
ないでしょー
この足の支払いも
あるのにさ
カーン
いらんと
言っとるだろが
カーン
相変わらず
冷たいなぁ
義父さん
パニーニャが
お客さんを
連れて来たんですよ
時間も
ちょうどいいし
お茶にしませんか
客?
カルバリン砲
てえのはな
漢のロマンだ

ロマンじゃなくて趣味でしょー
女の子の足にこんなもん付けるかな 普通
うるせい！俺の芸術にケチつける権利はおめぇに無ぇ!!
そうそう芸術よ！
通常の機能に加えて両足に武器内蔵！それでいて外観は損わずシンプルに！
ムダの無い設計はまさに芸術だわ！
いけるクチだな小娘
うふ♡
従来のカーボン比率にくらべてだな
外装の強度と軽量化は
装備者の体力に合わせん
うっ……入り込めない世界……
わー
おー
この中に子供が入ってるんだ！
うわ〜〜〜感動〜〜〜

あと 半月程で生まれるんだよ
さすがに重くてしんどいわねぇ
触ってみてもいいかな!?
ふふ どうぞ
お〜〜〜〜 すげ〜〜〜〜
なんかよくわかんないけどすげ〜〜〜〜
ぴと
あはは
妊婦さんのお腹に触るの初めてだ
「元気に生まれて来てね」って願いながら触ってあげてね
…そっかぁ ボク達もこんな風に母さんのお腹の中に入ってたのかぁ…
なんだか不思議だな!
そうね
私も自分の中にもうひとつの命があるのってとても不思議に思うわ

赤ちゃんは母親の中で280日過ごして生まれてくるんだって
本当に不思議ね 誰も教えないのにきっかり280日たつと出て来ちゃうのよ
小さくてもちゃんと意思を持った命なのね
エド〜〜〜♡
ちょっといらっしゃい
ちょっと
やな予感

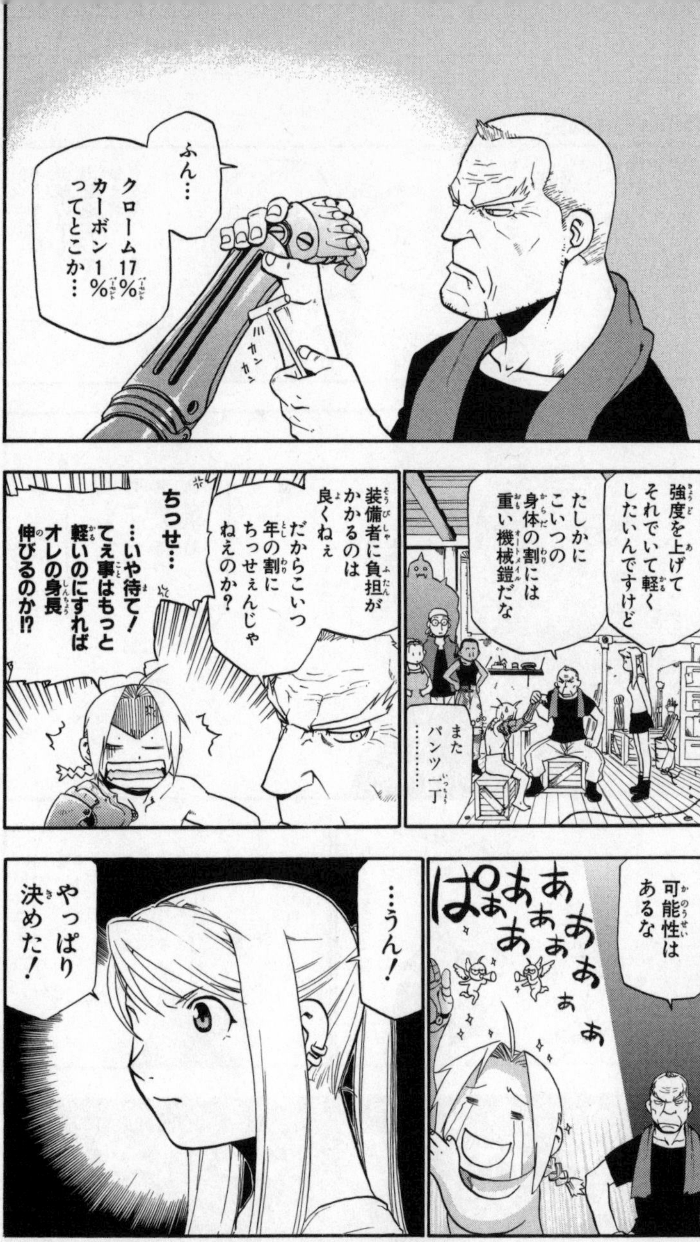

ふん…
クローム17%
カーボン1%
ってとこか…
カン
カン
強度を上げて
それでいて軽く
したいんですけど
たしかに
こいつの
身体の割には
重い機械鎧だな
また
パンツ一丁
……
装備者に負担が
かかるのは
良くねぇ
だからこいつ
年の割に
ちっせぇんじゃ
ねぇのか?
ちっせ…
…いや待て!
てぇ事はもっと
軽いのにすれば
オレの身長
伸びるのか!?
可能性は
あるな
ぱぁぁぁぁぁぁぁぁぁ
…うん!
やっぱり
決めた!

ドミニクさん あたしを弟子にしてください!!
ばっ!
けっ!
やなこった
……もう少し考えてくれても……
うるせい 弟子は取らねぇ
そこをなんとか… こう ちゃっちゃと オレの身長が伸びる機械鎧を伝授してくれませんかね 社♡長♡
帰れ このみじんこ
みじ――!!?
ドミニクさん お願いします!
弟子なんざいらん
そう言わずに!
帰れ
ズボンはきなよ兄さん
みっ… みじんこって言った みじんこって みじんこって
エド うっさい!!

ごめんね うちの親父 ガンコ者だからさ あきらめてよ
う～～～～
おう！ さっさと帰れ！
どーん
ザ
どザーー!!
……………帰れません
ははは 雨がやむまで うちでゆっくりして行きなさい
雨 やまないねー
ゴロゴロゴロ
う～～～～ 天気が悪いと付け根が痛むなぁ
ザァァァァァァ
さす さす

ねえ
パニーニャは
どうして
機械鎧に？
列車事故に
巻き込まれて…
身寄りも
無い上に
歩けなくなったら
もう気分は
「この世の終わり」って
感じよね
地べたを
はいずりまわって
生きた月日は
そんなに長く
なかったけど
あたしをどん底に
突き落とすには
充分な時間だった

死人の目…
そう…
あの時のあたしは
きっとひどい顔を
してたんだろうなぁ
……何
見てんのさ
………
「自分がこの世で
一番不幸だ」って
顔しやがって
こんなガキが

てめえみてーのが一番腹立つわ
グいっ
え…何を…
はなせ！はなせー!!
うるせい
結局訳わかんないまま機械鎧つけられちゃってさ
手術は痛いわリハビリはしんどいわで最悪だったね！
でも…

また両足で立てた時は嬉しかったなぁ…
お日様があたたかくてやけに近く感じたよ
この足は生きる希望をくれた
立って歩いてどこにでも行けるって可能性をくれた
だからあたしドミニクさんが大好き
もちろんリドルさんもウィンリィも機械鎧に携わる人みんな大好き！
そりゃどうも
なんだか照れるね

代金？いらんわボケ
てめぇみてーなガキから巻き上げる程生活にゃ困っとらん
それにしても…
マジっすか!!
払えないでしょ
手術してくれた医者が後からドミニクさんの機械鎧の市場流通価格を教えてくれたんだけどおったまげたねー
ふ――…
それでそのおったまげた代金を分割で払いに毎度ここに来てるって訳か
うん
でも絶対に受け取ってくれないんだよねドミニクさん
ザァァァァァァ
受け取らない上になにかにつけ「メンテナンスだ」って足の調子を見てくれるしさ
申し訳無くて涙出ちゃうよ
…あのね
本当にドミニクさんに感謝してるんならスリなんてやめなさい！

え〜〜〜… でも スリ稼業でも やらなきゃ 払いきれないし…
ドミニクさんが 誠意でくれた 両足よ
あんたも誠意で 応えなきゃダメ！
なーおっさん もっと軽いの つけてくれよ
うるせい
ガーン
高い安いの 問題じゃないのよ スリは犯罪なの！
ドミニクさんは 死人みたいだった あんたを こんなに元気に してくれたんだもの
たとえ一生かかっても こつこつ真面目に 返済する価値 あるじゃない！
カーン
エドならきっと こう言うわね
「等価交換だ」 って！

……
そっかぁ
そうだよね
こつこつ真面目に
か……
よし！
スリはやめる！
地道に働いて返そう！
うん！
そうしよう！
あ！
スリって言えば
エドに
時計返すの
忘れてた
へー
これが
国家錬金術師の
証かぁ…
初めて
まじまじと見たわ
え!?
あのちっさい子
国家資格なんて
持ってるのかい!?
人はみかけによらないねー

これ フタが開かないんだよね
あいつかたくなに「開けるな」って言うだけで中に何が入ってるのやら…
「開けるな」？
見られたらはずかしい物が入ってるとみたね！
ほほう！
あたしの出番かしらね
しゃきーん
あんたのそういうトコ好きよ
あんにゃろ――錬金術でフタを接着してやがるわね
かり かり
……っと開いた！
パキャッ
エドのお宝はいけー……………ん

Don't forget 3.OCT.11
"忘れるな"
11年10月3日
……
何これ
こんだけ？
なんの事か
さっぱり…
ぱたん
これ
エドに
返しといて
ウィンリィ？
ぐしっ
も一回

も一回ドミニクさんに弟子入りお願いしてくる！
なんだろう
さぁ？
とたとたとたとたとたとた
とたとたとたとたとた
とたとたとた
リドルさん大変‼
奥さんが‼
‼？

サテラ!!
どうした
大丈夫か!?
う……
うま…
馬!?
生まれる……
予定日まで
まだ
日があるぞ!?
ええ…
夕方から
なんとなく
お腹が変だったん
だけど…
予定日まで
まだだと
思って…
なんだってエ!?

おろおろおろおろおろおろおろ
孫っ!
孫が出る孫がっっっ!!
落ち着いてちょうだいみんな
はー
あっ…ああしかし この雨の中街の病院まで連れてく訳にいかんな
俺がひとっ走り行って医者を連れて来よう
親父気をつけてな!
ドシャドシャ
とりあえず医者が来るまでがまんしろ
なっ
おろおろ
がまんって言ったって生まれる時は生まれるわよ
はー
ふー
ザァァアァァ
だっ…大丈夫だよ親父がすぐ医者を連れて来るから
みんなも落ちついて
カッ
そっ…そそそうですよね
あわてたってしょうが……
ゴ

橋(はし)が……
……うそだろ

落雷か……！
どうしよう……
ガバァ
どうもこうも！
こういう時こそオレの出番だろ！

そうか！
橋を！
バンバンバン
いっけえ――!!!
バキバキバキバキ

ビキッ
!!
ドガーッ
バキバキベキッ
なんだ？
どうなった？
くっ……
そぉ!!
バシャ

なんで途中でやめちゃうの!?
……自重で落ちちゃうんだ
むこうまで渡る橋を作るにはかなりの大質量を錬成する必要がある
だけど錬成途中で橋自体が自分の重さに耐えられずに折れるんだ
こっちから一方的に橋を渡すには距離がありすぎる…
どうする…
考えろ…考えろ…!!
橋脚付きの橋を作ったら…
下は洪水だ錬成途中で足元をすくわれるのがオチだな

それに質量保存の法則の事もある
そんなバカでかい物を作ろうと思ったらこっちの足元が足りなくなって…
…崩れるだろうな
くそ！何か方法は無いのか！
ザァアアア
…時間が無ぇ
まだ雷も鳴ってて危険だ
いつまでもここにいる訳にゃいかねえな
ここの反対側に旧道があって山ひとつ越えたとなり街につながってる
医者を連れて来るにはこっちの道の数倍は時間がかかるだろうがこの際グダグダ言ってらんねえ
おめえら家に戻ってサテラを励ましてやっててくれ

じゃあな
バシャバシャバシャ
ザァァァァァァ
…なにが国家錬金術師だ
なにが人間兵器だ…
また肝心な時に…
オレは無力だ…!!

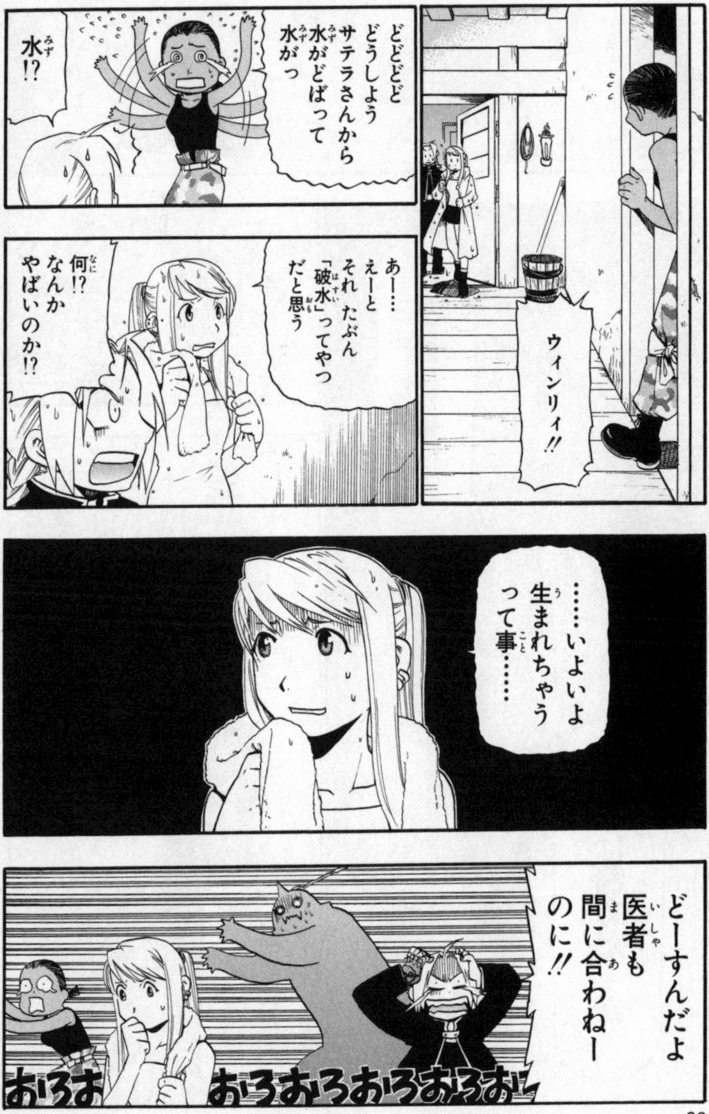
ウィンリィ!!
どどどどどうしようサテラさんから水がどばって水がっ
水!?
あー…えーとそれ たぶん「破水」ってやつだと思う
何!? なんかやばいのか!?
……いよいよ生まれちゃうって事……
どーすんだよ医者も間に合わねーのに!!
おろおろおろおろおろおろおろ

がし
がし
がし
リドルさんちょっと!
ええ!?
は——…
あいつ言い出したら止まんないしそれに今はこれしか無いよなぁ…

本気かい!?
出産に立ち合った経験は!?
無いですよ
でも迷ってるヒマはありませんから
エプロンかります
みんなで協力して
赤ちゃんを取り上げます
肚
括ってください!
おめーが一番ビビってる顔してんじゃん

第19話
あんた達のかわりに

エドとアルはお湯を沸かして
ザバアァァアァァアァア
どっ…どれ位？
たくさん
パニーニャはタオルをあるだけ集めて
リドルさん消毒用アルコールありますか
バタッ
バタ
バタ
それとサテラさんの枕元に飲み水を
ど…どうなっちゃうのかな
ねぇ大丈夫かなぁ
バタ バタ
バタ バタ
ウィンリィになんとかしてもらうしかねぇだろ

あいつんち
医者の家系だから…
オレ達が錬金術書を
そうしてたように
家にあった
医学関連書を
絵本代わりに
読んで育ったんだ
それってちゃんと
学んだ訳じゃ
ないんじゃ…
ああ
たぶん
うろ覚え程度の
知識だろうな
ちょっ…
だけど!!
今は あいつの
記憶と度胸に
まかせるしか
無いんだよ…!!
お湯
沸かして…
消毒して
……
……あと
何だっけ…
思い出せ
カタ
カタ
思い出せ
……
ウィンリィ

がんばれ!
──うん!
ぐっ
パニーニャ
中で手伝ってくれる?
うっ…うん!
バタン

痛い痛い痛い!!!
死んじゃう〜〜〜!!
びくびく
う〜〜〜…痛い〜〜〜!!
情け無い事に今……心底「怖い」と思ってる…
ボクもだよ
こういう時はアレだね「神サマに祈る」
情け無ぇ…〜〜〜

ザアアアアアアアアアアアアアアアアアア
ギ…

兄さん！
ガタン
へたっ
おっ…おい!!
血……
血が…
もうダメ…
どうしたんだよおいっ!!

ふぎゃあ
あ
ふぎゃあ
ぁあ
あ

う…
…ま
れ
た――‼

なんだよ
パニーニャ！
ビビらせんな
こんにゃろー！
わははははは
血……
あたし
血は
ダメなの
よぉぉぉ…
がんばったな
サテラ
ウィンリィちゃんも
ありがとう
あとは産湯を
お願いします
ああ
そうだった！
パパが
おふろに
入れてあげるよ～
すげー
本当に
生まれたよ！
すげー
すげー!!
すげー すげーって
そんな子供みたいな
感想を……
だって
おめー
生命の誕生
だぞ!?

錬金術師が何百年もかけて未だ成し得てない「人間が人間を創る」っていう事をだな!
女の人はたった280日でやっちゃうんだぜ!?
おそろだい♪
生命の神秘を科学と一緒にするなんてロマンが無い!
う!!
しょーがねぇだろ職業柄よぉ……
うん でもやっぱりすげーよ
人間ってすげー

おまえもすげーよ
たいしたもんだ
あはは！もっと誉めなさい！
子供は無事に生まれたし！
あとオレにできる事あるか？
うーん 血が 血が
ぎゅっ
そうねとりあえず…
……起こして
は？
安心して腰が抜けちった…
ぷ

自分よりちっさい男におんぶなんて屈辱だわ…
落とすぞてめー
ほんっとにかわいげ無えな！
ぶつぶつ
……
……あのね
あ？
銀時計の中身ね
見ちゃった
ぱ。
ぼと

いった〜〜〜〜
おまえな……
無理矢理開けたのか……
ごめんね
ごめんなさい
……バカヤロ

アルにも見せた事ねーんだぞ……
どうして
自分への戒めと覚悟を
こうやって形にして持ってなきゃいけないなんて
我ながら女々しいよ

なんでおまえが泣くんだよ
あんた達兄弟が泣かないからかわりに泣くの
……………
バカヤロ

――おまえ やっぱり 田舎に戻れよ
あれを見たなら 家がある事の 幸せってものが わかっただろ
ばっちゃん一人じゃ 寂しいだろうしさ 帰って安心 させてやれよ
ちがうよ
見たからこそ 余計に 帰っちゃダメだと 思ったの
あれが 家を焼いた時の エドの覚悟を 刻んだ物だって わかって
Don't forget 3.OCT.11
あたしも ハンパな覚悟じゃ ダメなんだと 思った
エドが安心して 旅を続けられるように
力に なれるように

あたし もっと腕をみがいて 少しでもいい機械鎧を付けてあげたい
だから もう一回 ドミニクさんに弟子入りをたのんでみる
…そっか
がんばれ
うん
さて！ ……と
おい パニーニャ!!
うぇ？

ボゴッ
いったぁー!! 何すんのいきなり!!
うるせぇ!! ゲンコ一発で勘弁してやっから時計返せこの盗っ人!!
だからって右手でなぐる事…
じゃあ左手だ
ボゴッ
あだーっ!!
兄さん女の子なぐっちゃダメだよ
でれっ
はーーい おじいちゃんですよ〜〜〜〜〜♡
おい孫だよ俺の孫! か〜わいいなぁ
じじ馬鹿炸裂
キャラちがう…
いやぁ良かった良かった 一時はどうなる事かと思ったが
母子ともに体調良好 産後の処置も適切だね

初産の立ち合いなんて大人でもびびっちゃうのにたいしたものだ
ぶん
ぶん
いえもう必死で何がなんだか
予定日通りに生まれてくれれば皆に迷惑かけずに済んだのにこの子ったら…
兄さんみたいなせっかちな人がお腹に触ったから早く生まれて来ちゃったんだきっと
オレのせい!?
ぷ
ははは
無事に生まれたんだから結果オーライってやつだよ
本当に皆には…特に嬢ちゃんには世話になった
感謝する
ありがとう!!

そんなにかしこまられたら照れちゃう
ピーンとね
すすすすっ
どうでゲス社長
機嫌のよろしいところでひとつ弟子などとってみては…
却下
出産では世話になったがそれとこれとは話が別だ
俺は弟子はとらん
それに嬢ちゃんにも家で待ってる家族がいるだろ
若え女の子が心配かけさせちゃいけねえ

……
とりつくシマも無しかよ！
ぬー…
そうだねリゼンブールにピナコばっちゃん一人になっちゃうもんね…
ドシャ
リゼンブールの……ピ……ピナコ……？
？
はいピナコ・ロックベルはあたしの祖母ですけど
ドン！
ずざざざざーっ

ピナコ・ロックベルの孫……
思い出すもおぞましい…
あのリゼンブールの女豹めえええ……!!
ほーほほほほ
ほほほほ
ぬうおおおおおおお
誰!?
あの…ばっちゃんと何か…
ぴし!
訊くな!!古傷が裂ける!!
とにかく!
俺は弟子はとらねえし
あの女の孫とわかったら余計おっかなくて…いやいや
ゴホーン

ま
どうしても修行してえってーならふもとの腕のいい技師を紹介してやるからそこに行け
ぽん
…たまにお仕事を見学に来てもいいですか？
けっ
ジャマするなら来るんじゃねぇ
ただし
ガリガリ
孫の顔をたまーに見になら来るがいいさ
そっちの手癖の悪いはねっかえりも改心したら一緒に来てもいいぞ
素直じゃないでやんの

旧道を抜けたらとなりの街サウスフッド
SOUTH HOOD
RUSH VALLEY
そこからラッシュバレーへ馬車便が出てるからそれを使うといい
街の衆に吊り橋の修理を頼んでおいてくれ
うんわかった
また山道を延々と歩くのかよ…
げっそりだわ…
ふもとに着いたらガーフィールって技師をたずねな
腕もいいし丁度人手が欲しいと言ってたところだ
RUSH VALLEY
ありがとうございます
じゃあまた!
おう

ゴゴ
RUSH
RUSH VALLEY
やばい！汽車が出るよ
アル走れ!!
ゴッ
ゴッ
ゴッ
じゃあまたな！
うん！
気をつけてね！
おまえもな！
しっかり修行しろ…
パス

…よっ!!
だんっ
ばっちゃん心配してるぞ! ちゃんと電話しとけよ!
…
ゴッ
ゴッ
ゴッ
あんたに言われたくないわよ!
あっはっは!
あのじじいからしっかり技術盗んで次に会う時はもっといいやつ付けてくれよな!!
まかせといて!

――そうかい ラッシュバレーに…
うん うん
ああ 心配する事ぁ 無いさ しっかり修行しといで
そう エド達は 師匠の所へ 行ったのかい
本当に ひとつ所に じっとしてない 奴らだね
チーン
うん じゃあ 元気で やるんだよ

ああ…
この家も広くなるねぇ…
ふ…
とととととと
ぴと
じーー…
………なんだい
ガキじゃあるまいし寂しくなんかないよ！
しっしっ
ほんとにもう……

ガキだ
ガキだと
思ってたら
いつの間にか
自分で道を決めて
歩くように
なったんだねぇ
あの子は…
DUBLITH
welcome!
HOTEL
RESTAURAN
MEAT
OPEN

——とうとう
ヒュウウウ…
来ちまったなぁ…
うん…
ヒュコオオオ
……師匠…
留守だといいなぁ!!
オオ
うん!!
へいらっしゃい!!
ぎゃあ!!
どうぞ中に入って……
どきどきどきどきどき
あれ——?
エドワード君?
ひっさしぶりぃ!
メイスンさんだっけ?
こんちわ…

あっはっはー！
すっかり大きくなって！
ばすんばすん
これはこれでムカつく……
こっちの鎧の人は？
弟のアルフォンスです
お久しぶりです
はあ
………すっかり大きくなって…
イズミさんに会いに来たんだろ？
待ってな今呼んで来てやっから
OPEN
ちょうどよかったね！
イズミさんねつい先日旅行から帰って来たばっかりなんだよ
まだ旅行に行っててくれればよかったのに…!!

あっ
店長！
裏にめずらしいお客さんが来てますよ
客だぁ？
ドスドスドスドスドス
ゴゴゴ
ゴゴ
ゴゴ
ピキ
めこっ

ゴゴ
ゴゴ
ゴゴゴ
ギン
あ？
ど…
どうも
お久しぶり
…………
……です

記憶の糸をたどるといつも最初に出て来るのは書斎で研究にふけるあいつの姿だ
錬金術師だったあいつに親らしい事をしてもらった思い出は全くと言っていい程無い
あいつが出て行った日理由をたずねても母さんは「しょうがない」と言うだけで淋しそうに笑っていたが影で泣いていたのを知っている
母さんが病に倒れこの世を去ったのはそれからまもなくの事だった

第20話
師匠の恐怖

FULLMETAL
ALCHEMIST

ゴゴ
ゴゴ
ゴゴ
ゴ
…………
ゴゴゴ
エド……か？
ぐわッ

がしっ
よく来た
わしわし
ぐりぐり
大きくなったな
ちぢむ……!!
こっちは?
アルフォンスです
ごぶさたしてます
そうか
わしわし
すごく大きくなったな
鎧になってから初めて頭なでられた…
急にどうした
師匠に教えてもらいたい事があって…

ああ
こっち来な
メイスン
しばらく
店たのむ
へーい
師匠の身体の
具合は？
そこそこ
元気だが
まぁ病弱には
かわり無いな
おいイズミ
エルリックの
チビ共が来たぞ
エドとアルが？
起きれるか？
大丈夫
今日は少し
体調がいいから
師匠
具合悪くて
寝てたんだ
また身体
悪くなったんじゃ
ねー？
ぱたぱたぱたぱた

ドガラ
もぎゃあああああああああ
ズザー

ギイ
あわわわわわ
ズズウン
おまえの噂はダブリスまでよ~~~~~~届いてるぞこの馬鹿弟子が
ズ!!ー

軍の狗に成り下がったって？
ああ？
なんとか言え!!
無理だよイズミ
ニューネッシー
ん？
ギくう!
この鎧はどちら様？
あっ…おっ…弟のアルフォンスです
師匠っっ あああ あのっ
アル！ずいぶん大きくなって！

いやぁ師匠も変わりないよう
で？
ぐりん
ドガ
鍛え方が足りん！
師匠具合悪いんじゃなかったんですか〜〜〜〜
何を言う！
おまえ達が遠路はるばる来たというからこうして…

ごばぁ
無理しちゃダメだろ
ほら薬
うー
ゲホゴホ
いつもすまないねぇ
ごほごほ
おまえそれは言わない約束だろう
ひしっ
あんた…!!
え〜と…あらためて
お久しぶりです
うん
よく来た!
ばしっ
わはは
でっ

賢者の石?
ごほっ
師匠なら何か知ってるかなーと……
私は石には興味が無いからなぁ
そんな伝説でしか存在しないようなモン研究してどーすんの?
いやっ…ほら知的好奇心と言いましょうか!
………
賢者の石ねぇ…
そういえばこの前の旅行で中央に寄った時石にやたらと詳しい錬金術師に会ったよな
ああ あの男!
えーと たしか…

「ホーエンハイム」って
名乗ってたっけ
!
どんな人でした!?
割と背が高くて…金髪メガネにあごヒゲだったかな
年はよくわからなかったけど……
けっこう男前だったよ
む
やだぁ!あんたの方がいい男よぉ!!
生きてたんだ……
知り合いか?

……父親です
ボク達の……
あの昔出てったっていうおまえ達の父親？
丁度いいじゃないか
まだ中央にいるかも…
あんな奴!!
あんな奴に頼るのだけはごめんだ…!!

あ…あの
父さん
石について何か
言ってました?
ん~~~~~……
長年の望みが
もうすぐ
どうとか…
うれしそうに
語ってたっけ
へえ―――
世の中には
あくどい奴が
いるもんだねぇ
がつ
がつ
がつ

オレもムカッ腹立ったからさ
がっ
がっ
東方司令部の大佐にチクっといた
がっ
馬鹿だねぇ
炭坑の権利書をそのまま持ってりゃ老後も安泰なのに
がっ
あんまり危ない事しちゃダメだぞ子供なんだから
がっ
がっ
ボクは平和に生きたいと思ってるんですけど兄さんがねぇ……
がっ
がっ
なんだよオレのせいかよ!
ちがうの?
ざっがっ
ばくばく
ぼりぼり
アルフォンス君食べないの?
食欲無いんで…

しかし殺伐とした旅をしてるねぇ
そんなひどい出来事ばかりじゃないですよ
ラッシュバレーで出産に立ち会ったもんな！
師匠！ボク達赤ん坊をとりあげるの手伝ったんですよ！
バッカおめー！手伝ったって言えるのかよあれで！
オレ達うろたえてただけじゃん
あはは！「案ずるより産むが易し」ってあの事だよね
家族が協力して母親も命をかけて
みんなに祝福されて人間は産まれて来るんですね
そうだよ
おまえ達もそうやって生を受けた

自分の命に誇りを持ちなさい
そういえば
師匠のとこは子供は居ないですけど……
エドワード君!!

あー………
ほら
あれから君達の錬金術も進歩したろう?
修業の成果を見せてくれないかなぁ
ああそれならいくらでも!
リゼンブールに戻ってからも毎日研究をおこたらなかったし!
師匠の言う通り体も鍛えてますしね!
ボク達かなり大質量の錬成もできるようになったんですよ!
そうだ!どうせなら表でドーンとやってやろうぜアル!
師匠も早く早く!
はいはい今行くよ

イズミ……………
ん？
ああ
だいじょぶ
だいじょぶ
そうか
生命が生まれるのを
見たんだ
いい経験をしたね
あの子達は
カッ

バッ
ほー
早くて正確になったな
へへ
次オレ!
!!
パン
バシィ

どど～ん
じゃーん
うわあ
兄さんの錬成はもっとこうディティールがだねぇ！
なんだよっ！オレのセンスに文句あんのか！
大ありだ。
だいたいムダが多いんだよ
おまえなんて袈裟じゃんか!!
……
……
…
おまえ錬成陣無しでできるの？
え？はい一応…
？
エド
はい？
おまえひょっとして

あれを見たのか？
……な……
何を……
見たんだろう？
…見ました

さすがはその年で国家資格を取る程の天才……って事か
天才なんかじゃありません
オレは・あれを見たから…
?
?
師匠は………!
イズミせんせー!

せん……
すすすす
せんせー
どうせこわい顔ですよ
店に戻りましょう店長!
しょぼん
どうしたの?
ボクの汽車が壊れちゃった直してよ!
おいで家の中に道具があるから
えー? 錬金術でさっさと直してよぉ
ダーメっ!
なんでー?
パパ言ってたよ「イズミせんせいはすげー錬金術師だ」って!

なんでも錬金術に頼らないの
自分の手で直せる物は直す！
錬金術でパッとやった方が簡単じゃん！
ブーブーブー
ああうるさい
ほれ車軸にするからそのアメの棒よこしな
うえ〜かっこわる〜
せんせい下手ー！
ギャはははははは
悪うござんしたね
こんな下手っぴに直してほしくなかったら大切に扱いなさい
へへっ
ありがとー
壊したらまた来るねー！
だから壊すなっつの!!
イズミせんせい…

メニィ どうしたの あんたも何か壊したの？
チコが動かないの
直してよ……
──もう死んでる

こわれちゃったの？
ううん
ちがうよ
死んでしまったの
せんせい
チコを
直してよ
それは
できないよ
だって
イズミせんせいは
なんでも
作れるんでしょ？
チコだって…
メニィ
命は物とちがうし
私は神サマじゃない
チコも
メニィも
同じ「命」
チコは命が
止まってしまって
もう戻らない

わかんないよ
だって…
きのうまで………
チコの命は作ってあげられないけど
お墓は作ってあげられる
ね？
生きていればいつか命は尽きて肉体は土へ還りその上に草花を咲かせる

魂は「想い」という
糧になり
周りの人々の心に
生き続ける
…自分では
こんなにも
わかりきって
いるのにな
未だに
子供に死を
納得させるのは
むずかしい
世のあらゆる物は
流れ 循環している
人の命もまたしかり
…師匠は
命を……
死んだ人を
生き返らせたいと
思った事は
ありますか？
あるよ
エド
おまえは
軍の狗でいて
良かったと
思った事は
あるか？

いつ……
いつ人間兵器として招集されて人の命を奪う事になるかわからなくて…
こわいです
それでもその特権を利用して成し遂げたい事があると？
成し遂げなければならない事があります

師匠の教えを
破っといて
粋がるんじゃないよ
このガキ!
兄さああああん
アル
その鎧の中…
空っぽだな
!!
エドも
機械鎧だろう
どっ…
どうして
わかったって?
さっきおまえを
投げ飛ばした時!
左右でちがう足音!

気付かないと思ったか
私をなめるなバカ者
何があった
全て話せ

じゃあな
何があった
全て話せ
お父さんとお母さんが……
イシュヴァールで……!!
……

父さんの残してくれたお金ね
手を付けてないの
私にもしもの事があったらそれで生活しなさい
二人で仲良くね
ああああああ
おめでとう
これで晴れて軍の狗だ

第21話 二人だけのひみつ

ミーーン ミーンミンミン
エド！
アル！
エド！
アル！どこ？
あらま
また父さんの書斎を散らかして
本当に本が好きなのね

あら！
だめよ
そんな所に
落書きしちゃ
父さんが
帰って来たら
怒るわよ
らくがきじゃ
ないよ
見てて
!?
パ
ン
……
これ
錬金術
よね？
父さんに
習ったの？
パリッ
いない人に
どうやって
習うのさ！
本よんだら
書いてあったよ

書いてあったって……
あなた達こんな難しいのがわかるの!?
なんとなく
……
世の錬金術師が聞いたら卒倒するわね……
やっちゃいけない事だった?
そんな事無いわ! たいしたものよ!
さすが父さんの子ね
母さんみんなに自慢しちゃおう
単純な事だった

「母さんが誉めてくれる」
たった それだけの事が
嬉しくて
オレ達は錬金術に
のめり込んだ
おかあさん
おかあさん
おかあさん

おかあさん!!
流行り病だそうだよ
悲しい事だ…子供二人を残して…
ご主人いたでしょう?
さぁ…どこにいるのやら連絡もつかない
かわいそうに

兄ちゃん
おなかすいた
さむいし
かえろうよお
……

錬金術の本に人造人間っていうのがあるんだ
人間は魂と精神と肉体の三つでできてるんだって
うんボクもよんだ事ある
……おかあさんを元にもどせないかなぁ
だから
二人だけのひみつ
でも人間を作るのはやっちゃいけない事だって書いてあったよ
うん
生命を創り出す事になんの疑いも無かった
ただもう一度母さんの笑顔が見たかった――

細胞が66%
細胞外液が24%
で…細胞外固形物が10%だろ?
ECW26%
ICW34%
脂質19%
蛋白質が
えーと…
やっぱ人体の構成成分からやった方が早いと思うんだ
えー?
体蛋白の構造がわかればそっちの方が…
…エドワード君アルフォンス君
今は算数の授業中なんだけどなー♡
12×5
21×8
だってつまんないんだもん♡
白墨乱舞!!
エルリックガードッ!!
ぐー
せんせーウィンリィちゃん寝てまーす

最近何を一生懸命勉強してんの?
秘密!
カラ――ン
ウィンリィには関係ねーよ
コロ――ン
ずるい!いつも二人で秘密にして!
へへーじゃあね
今日の晩ごはんはシチューだってさ
やた――
おう!また後でな
シチューを発明した人は偉大だ!
牛乳が入ってるのにあんなに美味い!
なんだよそれ
野菜スープに牛乳をつっこむっつー考えがすげーよ
科学者にもそういう発想の転換が必要だよな
うんうん
そんなもんかな
…何が足りないんだろうね人体錬成
そもそもなんで人体錬成は法律で禁止されてるんだ?

成功した人がいない危険な錬成だからじゃない？
ほら一夜で国が滅んだっていう…
東の砂漠の賢者の話か？
そうそれ完全な人間を作ろうとして国民が巻き込まれてさ
あんなのただのおとぎ話だろ
じゃあさあれは？
錬成中にハエが入り込んでハエ人間になっちゃったってやつ
そりゃこの前見た映画の話だ…
大人はきっと自分達ができないからって禁止してるんだ
死んだ人が生き返ればみんな嬉しいに決まってるのに

オレとアルと母さんとまた楽しく暮らせるなら母さんだって喜んでくれるよ
ねぇやっぱりボク達だけの知識じゃ無理だよ
…父さんがいれば錬金術を教えてくれたかな
あいつの話はするな！勝手に出てって母さんを泣かせて！
母さんは女手ひとつで苦労してオレ達を育てて病気になって！
そんな目にあわせといてあいつは葬式にも帰って来やしない！
……でもやっぱり独学じゃ限界があるよ

サァァァァァ
……うん
ザァアアァァ
ドドドドドドドドドドドド

ドドドドド
オラぁ60年生きてるがこんな大雨初めてだァ
ドザァァァァァァ
うへぇ
もっと土のう持って来い！
間に合わねぇ台車ごと突っ込め！
ドドドド
だめだ！この先も決壊しかけてる！
避難した方がいい！
くそっ…
堤防が切れるぞ！
高台に逃げろ！
切れるぞ!!
こんな所で何してるんだ！早く逃げなさい!!
兄さん！
うっ…うん
早くしろ!!
切れるぞー!!

ザ
シャ
ドドドドドドドド
えっ……
おい
あんた…
ジシャ
ジシャ
あぶないから
はなれてて
ください
パン
そりゃ
俺のセリフだ!!
ここは
もうじき
決……
…壊…
ズ
ゴ

ドッ

ドン
ゴゴ
これでしばらくもつでしょう

一応
土のうで
補強しといて
ください
おっ…
おう!
ああ
足元
陥没させちゃって
ごめんなさいね
信じらんねぇ…
こんな
バカでけぇの
一瞬で………
あんた何者だ
通りすがりの
主婦です
にっこり
ぶばっ
だっ…誰か
タンカ
持って来い!!
医者だ
医者
──っ!!

東部には観光に来てただけですよ
この雨で足止めをくらって困ってたんですけど役に立ててよかった
いや本当に助かりました
すげぇ錬金術だったな！
おお！あんたアレじゃねーの国家錬金術師とか言うやつ
ただの肉屋の女房ですよ
イズミ・カーティス
こっちが旦那のシグ
へぇダブリスから来たんかい
なんも無くてつまんないでしょ
ダンナさんでかいなー！
アル！
うん！

おばさん！オレ達を弟子にしてよ！
これ！おまえ達いきなり何を…
ボク達少しだけ錬金術を使えるんですけど
もっと腕を上げたいんだ！だから！
おばさんちょ――っと耳が遠くて聞こえなかったなアもう一回言ってくれるウ？
訂正です
ああーんて
オウ
ゴキボキベキ
弟子にしてくださいおねえさん
だめ！
なんでー！
どうして――！
私は弟子はとらないの
それに店もあるからすぐダブリスに戻らなきゃならないし

連れてってー!!
ぶんぶん
弟ー子ーにーしーてー!!
あーもうしつこい!!
錬金術の腕前を上げて何をしたいのあんた達は!
うっ!!
えっと…
ひ…人の役に立ちたい!!
両親の許可は?
…………
ああイズミさん今はあたしが保護者みたいなもんだけど…
この子らには両親がいない
あ…

〜〜〜〜……
どうにも弱いね
一か月！
とりあえず一か月だけ仮修業って事でこの子達を私にあずけてくれますか

本当に錬金術を教えるに値するか…
この子達の才能を見極めさせてください
もし才能無しと判断したら？
すぐここに帰します
あの…それで仮修業に合格したら…
そのまま本格的に修業だね
ばっちゃん!!
——言うと思ったよ
オレ達一か月じゃ帰って来ないから！

ゴオッ
行ってらっしゃい
修業ー♪
タ・ターン タ・ターン ガタ・タ
修業ー！
静かになさい
きっとすんげーでっけー研究所があるんだよ
見た事が無い本もいっぱい読めるかな
早くダブリスに着かないかなーー!!
修業ー！
修業ー!!
うるさい
ボコッ
ギャー!!
すーー
タタン
タタン
タタン

弟子は
とらない主義じゃ
なかったのか？
ん――……
生きてたら
これ位の
歳かなって
思ったら
情が……ね
タタン
タタン
それに
錬金術を
学びたいって
訴える
この子達の
目は
真剣だった
その学びたい
気持ちの裏に
何か人には
言えない理由が
ありそうだけど
間違った道を
選ぼうとしているなら
その道を正してやるのも
「師匠」の仕事でしょう？
…帰ったら
チビどもの寝床を
用意しなくちゃな
家の中が
にぎやかになる
寝床なんて
当面
必要無い無い！
は？

ふっふっふ
段取りをしとかないとねぇ
次の駅で電話を借りましょうか
ダブリス～
ダブリスです
ガ
うへ～～～
さすがに南部は暑いね兄さん…
DUBLITH
水浴びしたいな
いいねぇ水浴び!
行こうじゃないの
…
本当!?
ですか!?

ダブリスの観光名所
カウロイ湖へ！
湖!!
湖!!
でかっ!!
KAUROY LAKE
イズミさんっていい人っぽいな！
楽しい修業になりそうだね！
おっ
来たねイズミちゃん
舟の用意はできてるぜ
ごめんね無理言って
エド！アル！

荷物置いて乗りなさい
ザザ…
あれ？シグさんは行かないんですか？
行ってらっさい
せっかくの遊覧船なのに…
なぁ
ギィ
ギィ
遊覧？
ニヤ
ぶあっはっはっは!!
？
あの…この舟ってどこに行くんですか？
ほら湖の真ん中にあるでしょう
ヨック島

ザザ・・・
わーー・・・
ギャアギャア
ぐえー
野生の王国……
はい
これ持って
ここね
無人島だから
はぁ
ナイフ？
電気無し
井戸無し
雨をしのぐ
家も無し
猛獣はたぶんいない
この島で
一か月
あんた達
二人だけで
生きのびなさい

あ
その間錬金術使うの禁止ね
な……
なんだそりゃ――!!!
一か月たったら迎えに来るから
なっ…ちょっと!!
「一は全 全は一」

一か月で答えがみつからなければリゼンブールに送り帰すからね
じゃっ！
………………
ぼ────ぜん
ぐえ──
ぐえ──
ぐも──
ぎゃワ ぎゃワ
ぐぎゅるるるるるるるるるるるるるるりれぱぺ
…はらへったよぉ………
ふかふかのベッドで寝たいよう…

「一は全 全は一」
一か月で答えをみつけな
……のおばさん わけわかんねぇ宿題出しやがって!
「一は全 全は一」ってなんだろ
なぞなぞか? さっぱりわかんねーよ
でも一か月で答えを出さなきゃ本修業は無しだよ?
ん~~~~~……
あ――!! これのどこが錬金術の修業だっつーの!!
ぐぁあ
あのおばさんにだまされたー!!
ゲゲゲゲッゲッ
ホーホー

ぐぎゅ〜
……寝よ
ぽて
明日早起きしてごはん探そうな
うん……
ホーホー
ガサッ
カサ
カサ
カサ
カサ
?
アル?
トイレか?
あれ…
いる……
ぐぅー

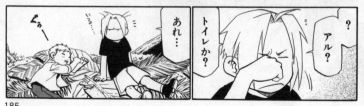

ドッ
ズシ

なっ なっ なんっ…
ん〜〜〜〜〜 なんだよ兄さん トイレくらい 一人で…
バカ!! 目ェ覚ませ!!
ズ
わーっ!!?
ガ
ブ
ン
ベキ メキ メキッ

掲載・月刊少年ガンガン平成14年12月号～平成15年4月号

鋼の錬金術師５
すぺしゃるさんくす～

高枝 景水 さん
ひのでや三吉 っあん
杜康 潤 さん
弥 正成 さん
馬場 淳史 さん
群青 典子 さん
保坂 秀 さん
杉山 りか さん

担当 下村 裕一 氏

AND YOU!!

牛小屋日記 激闘パンツ編

魂さえも犠牲にしろというのか？
Cheter
Ehieh
Pater
Hochma
Iah
filius
Sephirot 2
Sephiroth 3
Seph 4
Chesed
Adonai
鋼の錬金術師
2003年10月
発売予定！
乞うご期待!!
はがねのれんきんじゅつし
2003ねん10がつはつばいよてい！
こうごきたい!!
AGANE no RENKINJUTSUS
第6巻
幼い二人が試みた禁断の練成。それは人が人を造るという、神を真似た所業。そして兄弟は道連れに罰を受ける…。

ガンガンコミックス

はがねのれんきんじゅつし
鋼の錬金術師
FULLMETAL ALCHEMIST

鋼の錬金術師 5

2003年7月22日 初版
2005年9月1日 23刷

著者　　荒川弘

発行人
田口浩司
発行所
株式会社スクウェア・エニックス

〒151-8544　東京都渋谷区代々木3-22-7　新宿文化クイントビル3階
〈内容についてのお問い合わせ〉 TEL 03(5333)0835
〈販売・営業に関するお問い合わせ〉 TEL 03(5333)0832
FAX 03(5352)6464

印刷所　図書印刷株式会社

ISBN4-7575-0966-9 C9979